On a volé mon vélo !

Mini Syros Polar

Couverture illustrée
par Antonin Louchard

ISBN : 978-2-74-850690-7

25, avenue Pierre-de-Coubertin, 75013 Paris

On a volé mon vélo !

Éric Simard

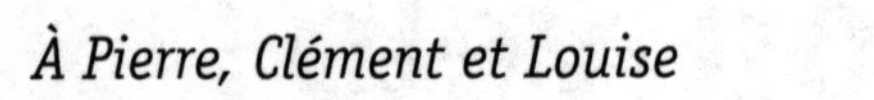

À Pierre, Clément et Louise

1

– Mon vélo ! Où est mon vélo ?

Je viens de sortir de la boulangerie.

– Il était là ! Contre le mur ! Ce n'est pas possible ! Pas une deuxième fois !

On m'a déjà volé un vélo tout neuf il y a trois mois.

Mes parents ont accepté de m'en racheter un en puisant dans leurs économies. Et voilà que ça recommence ! Je sens que je vais faire un malheur ! Celui qui a osé me faire ça va passer un mauvais quart d'heure. Je vais l'accrocher par les oreilles après l'enseigne de la boulangerie. Je repense soudain à ce que nous avait dit le policier quand nous sommes allés déclarer le vol du premier vélo :

– Il ne faut pas rêver ! Il y a une chance sur mille pour qu'on le retrouve. Un vélo, ça se repeint, ça se transforme facilement.

« L'assurance ! » me dis-je soudain.

J'en ai une qui me rembourse la valeur du vélo en cas de vol, mais elle n'est valable que si le vol a eu lieu à mon domicile. Les assureurs avaient déjà refusé de nous rembourser le premier vélo parce qu'on me l'avait volé à l'extérieur de notre HLM. Ça va être la même chose cette fois-ci. À moins que...

Si je faisais croire que le vol a eu lieu dans notre cave ! C'est décidé ! Je vais rentrer et demain, je hurlerai dans l'immeuble qu'on a volé mon vélo dans l'HLM pendant la nuit.

J'avoue que je n'en mène pas large. Mais bon... ce n'est pas un grand mensonge. Et puis de toute façon, c'est ça ou je vais devoir prendre le bus toute l'année.

Je fais bien attention en arrivant dans mon quartier que personne ne me surprenne. Je longe les murs et passe derrière les haies. Il faut qu'on croie que je suis rentré de l'école avec mon vélo, sinon mon plan est fichu.

« Personne, c'est le moment ! »

Je cours jusqu'à la porte d'entrée de l'immeuble, l'ouvre avec ma clé et me faufile dans la cave. « Ça y est ! Le plus dur est fait ! »

Je sors de la cave comme si je venais de ranger mon vélo, je grimpe les quarante-six marches qui me séparent de notre appartement et j'entre dans le salon en sifflotant.

– Ça a été aujourd'hui ? me demande ma mère.

– Super !!! dis-je avec un air faussement enthousiaste.

– Les voisins du dessus se sont encore battus, soupire-t-elle. Je vais finir par craquer !

Mon père rentre vers les sept heures du soir. Nous dînons en regardant la télé. Avant de m'endormir, je réfléchis au plan que j'ai programmé pour le lendemain matin.

Je me lèverai tôt, je prendrai la pince dans la caisse à outils et je couperai la chaîne qui verrouille notre cave. Puis je ferai un peu de remue-ménage pour montrer que les voleurs ont agi dans la précipitation. Je réfléchis à tous les détails et je me surprends à douter.

« Est-ce que je dois prendre ce risque pour un vélo ? »

La réponse arrive vite : c'est oui ! Oui, parce que j'en ai assez qu'on me vole. Deux vélos en trois mois ! C'est trop ! Et puis, c'est juste un petit mensonge pour que mes parents puissent toucher l'argent de l'assurance.

2

Sept heures du matin.

Je me lève avec la peur au ventre. Il va falloir que je sois convaincant dans mon rôle de « victime ».

Je dis au revoir à mes parents et descends dans la cave, la pince coupante dans mon sac. Arrivé devant notre local, je sors l'outil et coupe la chaîne qui verrouille notre porte. Puis je dissimule la pince sous un tas de vieux cartons. La mise en scène est parfaite. Il ne me reste plus qu'à conclure...

– Mon vélo !!!

Je remonte les escaliers en hurlant.

– Qu'est-ce qui se passe ? demande mon père.

– On a volé mon vélo ! Il n'est plus dans la cave !

Je tends la chaîne sectionnée et ajoute :

– Ils l'ont coupée !

– Les bandits !

Mes parents descendent les escaliers et s'engouffrent dans les sous-sols.

– Ça ne va pas se passer comme ça ! crie mon père en découvrant la cave sens dessus dessous.

Ça marche !

– Au moins, cette fois... l'assurance nous remboursera, soupire ma mère.

On file prévenir le concierge.

– Un vélo ? s'étonne le vieil homme.

Il ôte sa casquette et passe la main dans ses cheveux, perplexe.

– Voilà quinze ans que je suis ici et c'est la première fois que j'entends ça !

– Ils ont forcé la porte de la cave ! s'énerve mon père. Ils ont bien préparé leur coup...

– Comment ont-ils pu entrer dans l'immeuble ? demande le concierge. Sans clé, on ne peut pas ouvrir la porte.

Je réagis tout de suite :

– Peut-être que des gens n'ont pas claqué la porte derrière eux en sortant. Ça arrive souvent...

– On verra plus tard, m'interrompt mon père. Il faut d'abord faire la déclaration à la police.

3

Tout s'est bien passé au commissariat. Les policiers ont l'habitude... Ils n'ont pas posé trop de questions et nous ont remis rapidement la déclaration.

– Parfait, a lancé mon père. On rachètera un vélo dès qu'on recevra l'argent de l'assurance. En attendant, tu prendras le bus.

Je me sentais un peu bizarre d'avoir menti.

« Un mensonge, ça se paie tôt ou tard », dit toujours ma mère.

Autant dire que je n'étais pas vraiment à l'aise dans mes baskets.

Le lendemain, à l'école, j'ai dû faire attention à mes réponses quand les copains m'interrogeaient.

– On t'a encore volé ton vélo ?! Tu crois qu'ils sont entrés dans ton HLM exprès pour ça ?

– Sûrement ! Il était tout neuf. Ils avaient dû le repérer.

– Comment ils ont fait pour savoir le numéro de ta cave ?

– Ils n'avaient pas besoin de connaître le numéro : les portes ont des barreaux espacés. Avec une lampe de poche, on peut voir facilement à travers.

J'avais réponse à tout.

Ce soir-là, je gravissais tranquillement les quatre étages du HLM lorsqu'une main a agrippé fermement mon épaule. C'était monsieur Gonzalez, un policier qui habite dans le quartier.

– Bonjour, Kevin ! Dis-moi, on m'a raconté pour ton vélo !

– Ben... oui... on me l'a volé...

– Un vol dans votre immeuble, a-t-il soupiré. C'est une première ! Mais rassure-toi, j'en ai parlé avec ta mère.

– Ah... bon ?...

– Ton vélo, je te promets qu'on va le retrouver ! Et quand je promets quelque chose...

Je l'ai regardé, stupéfait.

– Ceux qui ont cambriolé ta cave, a-t-il ajouté, ils ont du souci à se faire !

Je ne suis pas arrivé à dormir cette nuit-là. Monsieur Gonzalez avait décidé de retrouver les auteurs du cambriolage. Il allait mener une enquête et s'il découvrait que j'avais moi-même coupé la chaîne de notre cave... j'étais fichu. Il nous accuserait, mes parents et moi, d'avoir monté cette histoire pour toucher l'argent de l'assurance. Recroquevillé dans mon lit, je me répétais :

« Dans quelle galère je me suis mis ! Il faut que j'avoue tout à papa et maman. »

Après une demi-heure, j'ai finalement retrouvé mon calme.

« Monsieur Gonzalez ne découvrira aucun indice... parce qu'il n'y en a aucun. »

Soudain :

« La pince coupante !!! »

Quel idiot ! Je l'avais complètement oubliée ! Il fallait que je la remonte le plus vite possible ! J'ai pris mon courage à deux mains, j'ai sauté du lit et je suis sorti de l'appartement avec un sac de sport et une lampe de poche. J'ai descendu en silence les escaliers. Les couloirs du sous-sol étaient lugubres. J'ai poussé la porte de notre local et j'ai saisi la pince coupante que j'avais camouflée sous de vieux cartons.

« Sauvé ! me suis-je dit en remontant prudemment. Mais c'est la dernière fois que je fais ça ! »

Je me suis recouché. Ouf ! Mes ennuis étaient terminés.

4

Voilà trois jours que le « cambriolage » a été commis. Il est huit heures du matin et, mon sac sur le dos, je m'apprête à sortir de l'immeuble.

– Kevin, j'ai du nouveau ! me lance monsieur Broquart, notre voisin de palier. Je sais qui a volé ton vélo !

– Quoi ?... Vous savez ?... dis-je en balbutiant.

Je crains le pire. Mes joues sont aussi rouges que des plaques chauffantes.

– C'est le petit Arabe du rez-de-chaussée. Il est arrivé avec sa mère il y a deux semaines. Il a dû ouvrir la porte de l'immeuble à ses complices...

– Vous... croyez...? Vous... savez... Beaucoup de gens sortent de l'immeuble en oubliant de claquer la porte derrière eux. C'est peut-être...

– Pour organiser un cambriolage, il faut des complices, m'interrompt-il. À mon avis, il a attendu ses copains et il leur a ouvert. Ils sont malins, ces petits voyous. Ils agissent toujours par bande. C'est racaille et compagnie...

Je suis blême.

– Ce n'est pas possible ! Il aurait vraiment été bête d'organiser un cambriolage dans son propre immeuble...

Monsieur Broquart insiste. Je me souviens tout d'un coup qu'il avait crié après ce garçon le week-end dernier parce qu'il faisait du bruit avec son ballon de foot.

– Je suis sûr que ce n'est pas lui ! Vous l'accusez parce que vous ne l'aimez pas !

Monsieur Broquart me jette un regard sombre.

– Je ne suis pas le seul à le soupçonner, répond-il. Madame Rinaldo et monsieur Blanchot sont de mon avis.

Mais dis donc : tu veux le retrouver ton vélo ou pas ?

Je reste silencieux quelques secondes. Puis je demande :

– Vous avez des preuves ?

– On va les surveiller de près, répond monsieur Broquart. On finira bien par les coincer.

Cette fois, je ne dors plus du tout ! Ma mère se rend compte que quelque chose ne va pas.

– Qu'est-ce qui t'arrive ? me demande-t-elle. C'est à cause du vélo ? Tu n'as pas à t'inquiéter, nous t'en rachèterons un autre.

– Les voisins accusent le garçon du rez-de-chaussée. Tu sais... celui qui vit avec sa mère.

– Ah ?... fait maman.

– Ils n'ont pas le droit de l'accuser comme ça ! Ils ne l'aiment pas parce que c'est un étranger.

– Tu as raison. Ils sont racistes. Et ce garçon, tu le connais ?

– Ben... non.

Je me sens tout bête.

Le jour suivant, je frappe à sa porte. Pas de réponse. Je frappe une deuxième fois. Une petite dame finit par m'ouvrir. Elle a des yeux noirs inquiets. Son corps est enveloppé des épaules aux pieds dans une pièce de tissu sombre. Des parfums étranges envahissent mes narines. C'est surprenant mais pas désagréable. J'ai l'impression d'avoir ouvert une « boîte mystérieuse » provenant d'un pays lointain. La femme semble aussi surprise que moi. Son visage s'illumine soudain d'un sourire.

– Bonjour, me dit-elle avec un accent.

– Bonjour madame. Est-ce que Sélim est là ?

– Sélim ! crie-t-elle en se retournant.

Le garçon arrive et me découvre avec un ballon sous le bras. Je vois bien qu'il est étonné.

– Je vais au stade pour jouer au foot. Tu viens avec moi ?

Il reste un moment sans réagir. J'ai l'impression qu'il me transperce du regard. Puis il prend son anorak et prononce quelques mots en arabe à sa mère. Il sort et s'engage en silence dans la cour de l'immeuble.

J'attends d'être assez loin du HLM pour lui parler :

– Les voisins disent que c'est toi qui as volé mon vélo, mais je sais que ce n'est pas vrai.

Il continue de marcher sans me regarder.

– Bien sûr, dit-il, puisque c'est toi...

Je m'arrête, abasourdi.

– Moi ?... Pourquoi je me serais volé ?...

– Tu as dû le faire pour l'assurance...

– Mais...

Je ne sais plus quoi répondre.

– J'étais dans la cave l'autre matin, continue Sélim. Il faisait sombre mais je t'ai quand même vu couper ta chaîne avec une pince... J'ai compris quand je t'ai entendu crier qu'on avait volé ton vélo...

Je reste bouche bée. Sélim continue d'avancer comme si de rien n'était. Je proteste :

– On a vraiment volé mon vélo, mais c'était à l'extérieur de l'immeuble et...

– C’est fait, c’est fait, m’interrompt-il. Pas la peine d’en parler des heures... Essaie de me prendre la balle !

Il tire un grand coup en direction du terrain et part à la poursuite du ballon. Je lui crie :

– Tu vas le dire aux autres ?

Il répond :

– Ce que tu fais, ça te regarde. Je ne suis pas une balance.

5

Nous jouons pendant presque une heure. Sélim fait ce qu'il veut du ballon ! Une fois dans ses pieds, impossible de lui chiper.

– Qui t'a appris à jouer comme ça ?

Il s'arrête de dribbler.

– Mon père... quand j'étais chez moi.

– Où ça chez toi ?

– En Algérie.

Nous discutons longtemps sur le chemin du retour. Il va à l'école dans un établissement différent du mien, mais nous nous promettons de nous retrouver tous les soirs pour jouer au foot. Avant de le quitter, je lui demande pourquoi son père est resté dans son pays.

– Il est mort, me répond-il. Massacré dans notre village avec le reste de ma famille. Ma mère est venue en France pour fuir toutes ces horreurs.

Je reste debout sans rien dire. Je ne trouve pas les mots pour faire sortir ce que j'ai au fond du cœur. Sélim s'approche et me salue simplement en me claquant la main.

Dans les escaliers de l'immeuble, j'entends les voisins du dessus qui jasent :

– Je ne vois pas qui ça peut être d'autre, murmure l'un d'entre eux.

– C'est toujours pareil avec les étrangers...

Je rentre chez moi, le regard triste.

– Qu'est-ce que tu as encore ? demande maman.

– Oh... rien.

Je m'allonge sur mon lit et réfléchis.

« Je suis nul... à cause de moi, tout le monde accuse Sélim. »

Le lendemain matin, madame Rinaldo m'accoste dans les escaliers et me prévient avec un grand sourire que la police va interroger la mère de Sélim. Monsieur Blanchot, deux étages en dessous, affirme que les « deux Arabes » du rez-de-chaussée ne vont pas rester longtemps dans notre HLM.

– Jusqu'ici, c'était un immeuble sans histoires ! braille-t-il.

J'arrive à l'école avec une boule dans la gorge. Toute la journée, je repense à la conversation que j'ai eue avec Sélim. Je revois aussi le visage haineux des voisins. On dirait qu'ils sont contents de se défouler sur lui. Je n'arrive pas à manger le repas de midi...

Le soir même, en quittant le cours, je décide de tout avouer pour arrêter ce

« mauvais film ». À peine entré dans l'immeuble, j'entends la voix de monsieur Gonzalez sur le palier du troisième étage. Il parle avec madame Rinaldo et monsieur Blanchot. Je monte lentement les escaliers, la tête basse.

– Monsieur Gonzalez, dis-je avant d'avaler ma salive. C'est moi qui...

– Kevin ! m'interrompt le policier. Je viens de voir ta mère. On a retrouvé ton vélo ! En bon état, en plus. Dans un fossé.

Je n'en reviens pas. Mon vélo ! Retrouvé ?! Alors le cauchemar est fini !

– On n'a toujours pas arrêté les voleurs, continue monsieur Gonzalez, mais c'est déjà pas mal...

– Les voleurs..., on en connaît au moins un, ajoute soudain monsieur Blanchot en regardant le rez-de-chaussée.

Je proteste de toutes mes forces :

– Vous n'avez pas le droit de dire ça ! Sélim n'est pas un voleur !

– Il a raison, intervient monsieur Gonzalez. La mère de Sélim m'a dit qu'elle verrouillait son appartement toutes les nuits et qu'elle gardait la clé sur elle. Elle a vécu des choses si dures dans son pays ! Le petit n'a donc pas pu sortir de chez lui cette nuit-là.

– Depuis le début je vous dis que Sélim n'y est pour rien ! Je le sais !

– Tu as l'air bien sûr de toi, grogne monsieur Blanchot. Moi, je dis qu'avant qu'ils arrivent, on était peinards. On ne va tout de même pas se laisser emmerder par des étrangers !

– Tout se sait un jour, renchérit madame Rinaldo. On finira bien par les coincer.

D'accord... je vais tout leur dire. Comme ça, ils ficheront la paix à Sélim ! Je crie :

– Ce n'est pas Sélim ! Je le sais parce que...

– Kevin !

Quelqu'un m'appelle. Je tourne la tête vers les escaliers.

– Tu viens jouer avec moi ? continue la voix. Je t'attends depuis tout à l'heure...

C'est Sélim ! Monsieur Blanchot et madame Rinaldo le regardent, plutôt surpris. Je mets quelques secondes avant de réagir :

– J'arrive !

Sur le chemin du stade, je lui demande :

– Pourquoi tu m'as empêché de parler ?

– C'est simple. Si tu avoues tout, tes parents auront tellement honte que vous ne resterez pas longtemps dans l'immeuble. Vous partirez loin d'ici.

Il se tourne vers moi et ajoute avec un sourire :

– Et je serais vraiment triste de perdre un ami...

Du même auteur, aux éditions Syros

Pour les plus jeunes :

L'Enfaon, coll. « Mini Syros Soon », 2010

Robot mais pas trop, coll. « Mini Syros Soon », 2010

Les Aigles de pluie, coll. « Mini Syros Soon », 2011

Pour les plus grands :

L'Arche des derniers jours, coll. « Soon », 2009

L'auteur

Éric Simard est né en 1962. Il a d'abord rêvé d'être basketteur professionnel avant de devenir ingénieur biochimiste. Mais titiller les molécules à longueur d'année... ce n'était pas son « truc ». À 26 ans, il met la clé sous la porte et voyage à travers l'Europe. De retour en France, il crée des ateliers culturels dans les prisons de la région parisienne. C'est durant cette période qu'il commence à s'évader à travers les mots. Depuis 1997, il se consacre à l'écriture. Il a jeté l'encre en Bretagne où son port d'attache est Saint-Malo. Peut-être en a-t-il toujours rêvé, travailler au milieu des mouettes et des goélands...

Dans la collection « Mini Syros Polar »

Qui a volé la main de Charles Perrault ?
Claudine Aubrun

Crime caramels
Jean-Loup Craipeau

Le Chat de Tigali
Didier Daeninckx

Cœur de pierre
Philippe Dorin

Aubagne la galère
Hector Hugo

On a volé le Nkoro-Nkoro
Thierry Jonquet

Pas de pitié pour les poupées B.
Thierry Lenain

Armand dur à cuire !
Olivier Mau

Armand et le commissaire Magret
Olivier Mau

Armand chez les Passimpas
Olivier Mau

J'ai tué mon prof!
Patrick Mosconi

Aller chercher Mehdi à 14 heures
Jean-Hugues Oppel

Trois fêlés et un pendu
Jean-Hugues Oppel

Qui a tué Minou-Bonbon?
Joseph Périgot
(Sélectionné par le ministère de l'Éducation nationale)

On a volé mon vélo!
Éric Simard

Pas de whisky pour Méphisto
Paul Thiès
(Sélectionné par le ministère de l'Éducation nationale)

Les Doigts rouges
Marc Villard
(Sur la précédente liste du ministère de l'Éducation nationale)

Menaces dans la nuit
Marc Villard

Loi n° 49-956 du 16 juillet 1949
sur les publications destinées à la jeunesse,
modifiée par la loi n° 2011-525 du 17 mai 2011.

Achevé d'imprimer en France
en janvier 2015 par Clerc (Cher).
N° d'éditeur : 10211375 – Dépôt légal : octobre 2013
N° d'impression : 14061